Londre

Texte de Stéphanie Ledu
Illustrations de Loïc Froissart

Et si on visitait Londres ?
Cette immense ville est la capitale
du **Royaume-Uni**.

Sur cette carte, on peut repérer les lieux et les monuments à voir. C'est parti !

Allons tout d'abord au **palais de Buckingham** : c'est la demeure du roi ou de la reine. Le drapeau qui flotte au-dessus du bâtiment indique que Sa Majesté est là.

Chaque matin en été, les touristes affluent pour assister à la **relève de la garde**.

Les enfants admirent le bonnet des sentinelles. Il est fait avec des poils d'ours brun !

Pour se déplacer dans la ville, le métro est rapide et pratique. Les Londoniens l'appellent le ***tube*** à cause de la forme ronde de ses tunnels.

Nous voici à Piccadilly Circus, une place très fréquentée.

À l'arrêt du bus à impériale, les gens font la queue poliment. « Hep, taxi ! » La lumière jaune à l'avant signifie qu'il est libre.

Dong dong dong…

Difficile de ne pas entendre
le carillon de **Big Ben** !
Cette énorme cloche est située
dans la tour de l'Horloge,
au **palais du Parlement**.

Tout à côté se trouve l'**abbaye de Westminster**, où les reines et rois anglais sont couronnés. De très nombreux personnages historiques y sont aussi enterrés.

Attention en traversant la rue :
au Royaume-Uni, on roule à gauche !

As-tu remarqué le **London Eye**, la grande roue située sur l'autre rive de la **Tamise** ? C'est la plus haute d'Europe. De ses capsules, on voit la ville de tous les côtés...

À l'est, on aperçoit le gigantesque dôme de la **cathédrale Saint-Paul**. Un gratte-ciel de la **City**, le quartier des affaires, est surnommé le « Cornichon ». Le vois-tu ?

Oh ! Comme un jour sur deux à Londres, il s'est mis à pleuvoir. Filons visiter un des 200 musées de la cité.

Au **British Museum** se trouve une des plus grandes collections de momies égyptiennes au monde.

Tu préfères les dinosaures ?
Va au **Natural History Museum** !

En milieu d'après-midi, les Anglais boivent le thé, accompagné de douceurs.

Ce symbole sur l'étiquette signifie que c'est un des produits préférés de la **famille royale** !

Les **scones** sont de délicieux petits pains servis avec de la crème et de la confiture.

Londres est réputée pour ses boutiques et ses marchés. À **Camden Town**, on achète des vêtements excentriques et de vieux objets.

Des échoppes proposent des *fish and chips*, du poisson frit servi avec des frites, et des spécialités étrangères. Ça sent la friture !

Pour boire un verre entre amis, les Anglais vont dans les **pubs**. Ceux-ci sont réservés aux adultes, sauf si une pancarte précise « Familles bienvenues ».

Les Londoniens viennent des 4 coins du monde. En flânant, on découvre les quartiers chinois, turc, jamaïcain, irlandais…

Dans la longue rue de **Brick Lane** vivent de nombreuses personnes du Bangladesh. Les enseignes y sont traduites en bengali !

Les Anglais aiment la nature et sont fiers de leurs jardins. Londres compte près de 150 espaces verts. Chacun son atmosphère !

À **Hyde Park**, on peut pique-niquer, se balader à cheval, nourrir un canard, faire de la barque sur le lac Serpentine...

À l'intérieur de **Regent's Park** se trouve le plus vieux zoo scientifique du monde.

Des bateaux-bus proposent d'y amener les visiteurs.

Cruise

Avant de repartir, n'oublie pas d'aller au **Tower Bridge**.
Surprise : son tablier se lève au passage
des grands bateaux !

De là, rends-toi à la **Tour de Londres**.
Dans cette forteresse, qui fut longtemps une prison, sont exposées les couronnes des souverains.

6 corbeaux y sont nourris : une légende raconte que, s'ils quittent la Tour, il n'y aura plus de roi en Angleterre.

Une autre prétend que la Tour est hantée… Verras-tu un fantôme anglais ?

Que de choses encore à faire à Londres !
Voici un carnet de voyage rempli de souvenirs...

Le Globe Theatre, où sont représentées les pièces de William Shakespeare.

La place de Trafalgar Square.

La statue de Peter Pan à Kensington Gardens.

Un concert au Royal Albert Hall.

Hamleys, un des plus grands magasins de jouets du monde.

L'épicerie du grand magasin Harrods.

Des billets et des pièces.

Le breakfast, petit-déjeuner complet.

Découvre tous les titres de la collection

À table
Au bureau
Le bébé
Le bricolage
Les camions
Les dents
Les dinosaures

L'école maternelle
L'espace
La ferme
La fête foraine
Le football
Le handicap
L'hôpital